Our Earth-Level 1

زمین ها

My New World- Level 2

دنیای تازه ی من

The Story of **Bahar** & **Norooz**-Level 2

قصه ی بهار و عید نوروز

Mana & the City of Stars – Level 2

مانا و شهر ستاره ها

کتاب های منتشر شده در مجموعه دنیای دانش

Books Published in the World of Knowledge Series

Why We Should Eat Fruits

چرا باید میوه بخوریم

کتاب های منتشر شده در مجموعه پیش دبستانی

Books Published in the Pre-school Series

Sea

آقا پایا و کاکایی

Colors

دست کی بالاست؟

Friendship with Animals

دوستی با حیوانات

Co-operation

کار همه، مال همه

Seasons

الشون و بلشون

Yummy in My Tummy!

خوردنی های خوشمزه

Numbers (1-10)

عددها (۱۰ – ۱)

Snow

سفید قبا (برف)

I'm Still a Kid

آخه من هنوز بچه ام!

" مانی !

نازَنین ! "

مامان بود.

دَر دَستِ مامان ، بَستَنی بود .

ما بَستَنی دوست داریم .

" نازَنین !

آن اَبر را دَر آسمان بِبین ،

آن اَبر مانَندِ بَستَنی اَست ! "

اَبر مانَندِ سیب اَست .

اَبر مانَندِ آناناس اَست .

اَبر مانَندِ سَمور اَست .

اِمروز ، نازَنین با مَن اَست .

نازَنین دوستِ مَن اَست .

اِمروز ، باز آسِمان تار اَست .

اِمروز ، باز آسِمان اَبری اَست .

ما به سَمور دَست زَدیم .

تَنِ سَمور نَرم بود .

ما اَز سَمور نِمی تَرسیم .

ما سَمور را دوست داریم .

مَن داد زَدَم :

" مامان ! مامان ! "

مامان زود آمَد .

" مانی ! سَمور آزار نَدارَد. "

اِمروز ، ما دَر زَمینِ بازی بودیم .

ما دَر زَمینِ بازی ، سَمور دیدیم .

دَندانِ سَمور تیز بود .

زَبانِ سَمور دِراز بود .

مَن تَرسیدَم .

نازَنین نَتَرسید .

" مامان !

ما اَنار دوست نَداریم .

به مَن سیب بِده ،

به نازَنین ، آناناس . "

" دَر سَبَد آب نَبات نَدارَم .

دَر سَبَد بَستَنی نَدارَم .

مَن دَر سَبَد سیب دارَم ،

آناناس دارَم ،

اَنار دارَم . "

" مامان !

دَر سَبَد آب نَبات داری ؟

دَر سَبَد بَستَنی داری ؟ "

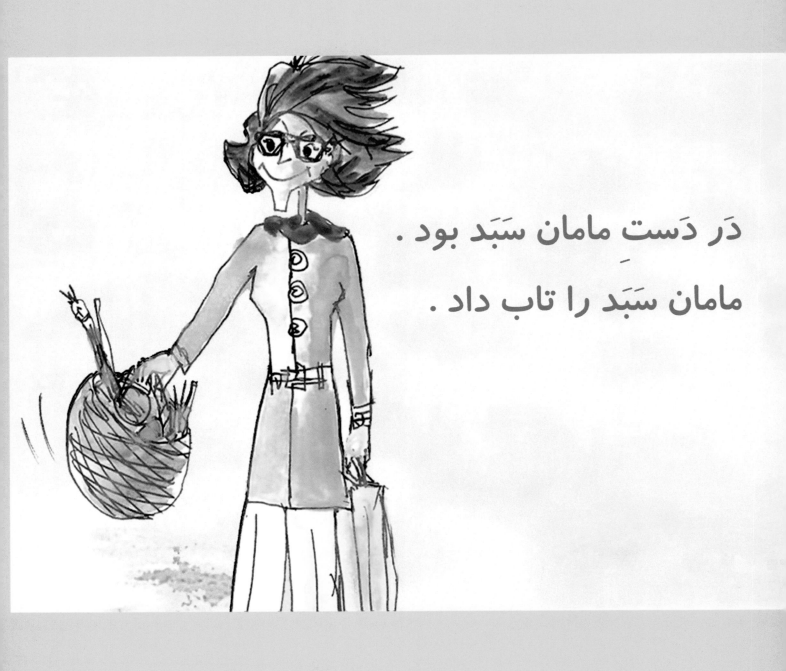

دَر دَستِ مامان سَبَد بود .

مامان سَبَد را تاب داد .

مامان اَز بازار آمَد .

ما باران را دوست نَداریم .

دیروز ، روزِ سَردی بود .

باد می آمَد .

باران می آمَد .

نازَنین آناناس دوست دارَد .
ما اَنار دوست نَداریم .

مَن سیب دوست دارَم .

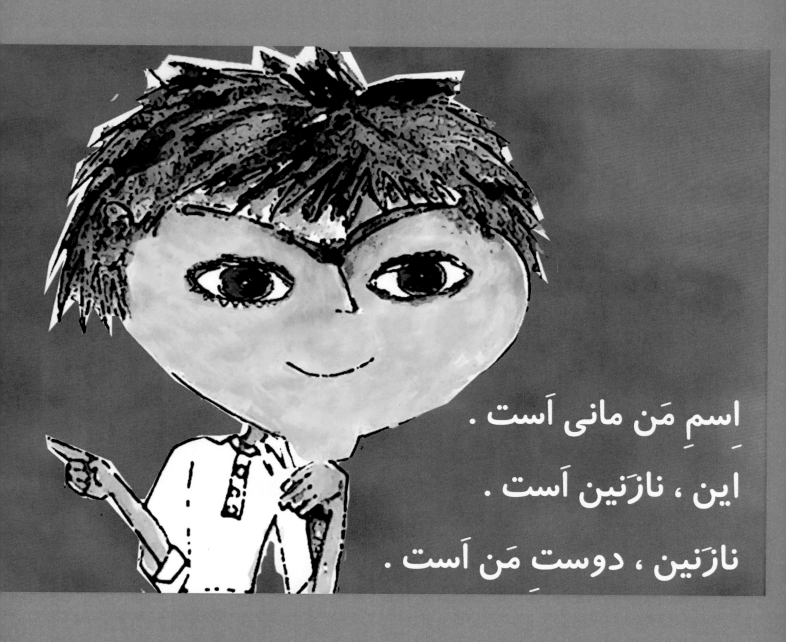

اسمِ مَن مانی اَست .

این ، نازَنین اَست .

نازَنین ، دوستِ مَن اَست .

کتابی که پیش روی شماست، یکی از کتاب های"مجموعۀ نوآموز" است.

این مجموعه، در برگیرنده شعرها و داستان هایی ساده برای کودکانی ست که فارسی را به عنوان زبان دوم می آموزند. کتاب های "مجموعه نوآموز" از لحاظ میزان دشواری به دو رده تقسیم شده اند تا کار انتخاب را برای پدرها و مادرها، و همچنین آموزگاران زبان فارسی ساده تر کنند.

کتاب های رده اول، مناسب کودکانی ست که خواندن و نوشتن زبان فارسی را به تازگی آغاز کرده اند. این گروه از کودکان در بیشتر موارد بدون کمک بزرگ ترها قادر به خواندن کتاب های این رده خواهند بود.

کتاب های رده دوّم در "مجموعه نوآموز" مناسب کودکانی ست که تمامی حروف الفبای فارسی را آموخته اند و از نظر آشنایی با زبان فارسی در مرحله پیشرفته تری قرار دارند. در نگارش کتاب های این رده سعی بر آن بوده است که واژه های فارسی به کار گرفته شده، تا حد امکان ساده باشند. واژه های ناآشنا در متن با رنگ قرمز مشخص شده اند و معادل انگلیسی آنها در پایان کتاب، زیر عنوان "واژه نامه" و با ذکر شمارۀ صفحه ها آمده اند تا کودکان درک بهتری از مفاهیم این واژه ها داشته باشند.

ما بستنی دوست داریم

Mirsadeghi, Nazanin
    We Like Ice Cream (Biginning Readers Series) Level 1 (Persian/Farsi Edition) Nazanin Mirsadeghi

    Illustrations by: Maurice Gabry

ISBN-10: 1939099250

ISBN-13: 978-1-939099-25-9

Published by Bahar Books, White Plains, New York

ما بستنی دوست داریم

نازنین میرصادقی

تصویرگر: موریس کبری

Bahar Books

www.baharbooks.com

89890782R00024

Made in the USA
Lexington, KY
04 June 2018